Billy Stuart
Un monde de glace

A gift
from the
generous donors
of the **New Brunswick**
Public Libraries
Foundation

Un don
des généreux donateurs
de la **Fondation**
des bibliothèques
publiques du
Nouveau-Brunswick

www.fondationdesbibliotheques.ca
www.librariesfoundation.ca

billystuart.com

Catalogage avant publication de Bibliothèque et Archives nationales du Québec et Bibliothèque et Archives Canada

Bergeron, Alain M.

Un monde de glace

(Billy Stuart ; livre 5)
Pour enfants de 8 ans et plus.

ISBN 978-2-89435-604-3

I. Sampar. II. Titre. III. Collection: Bergeron, Alain M.. Billy Stuart ; livre 5.

PS8553.E674M662 2012   jC843'.54   C2012-941116-7
PS9553.E674M662 2012

Éditrice : Colette Dufresne
Graphisme : Marie-Ève Boisvert, Éditions Michel Quintin

La publication de cet ouvrage a été réalisée grâce au soutien financier du Conseil des Arts du Canada et de la SODEC. De plus, les Éditions Michel Quintin reconnaissent l'aide financière du gouvernement du Canada par l'entremise du Fonds du livre du Canada pour leurs activités d'édition.

Gouvernement du Québec – Programme de crédit d'impôt pour l'édition de livres – Gestion SODEC

ISBN 978-2-89435-604-3

Dépôt légal – Bibliothèque et Archives nationales du Québec, 2013
Dépôt légal – Bibliothèque et Archives Canada, 2013

© Copyright 2013

Éditions Michel Quintin
4770, rue Foster, Waterloo (Québec)
Canada J0E 2N0
Tél. :   450 539-3774
Téléc. : 450 539-4905
editionsmichelquintin.ca

1 3 - W K T - 1

Imprimé en Chine

Billy Stuart
Un monde de glace

Livre 5

Texte : Alain M. Bergeron
Illustrations : Sampar

ÉDITIONS
MICHEL
QUINTIN

Billy Stuart

Foxy

Yéti

Les Zintrépides

Galopin

Muskie

FrouFrou

Avertissement

Billy Stuart n'est pas l'Élu avec un grand É. Il ne chevauche pas un ours polaire. Il ne porte pas d'anneau à son doigt ni à son oreille. Dans ses tiroirs, il ne cache pas de collections de masques ou de pierres. Il n'a pas de daemon qui marche à ses côtés depuis sa naissance. Son front n'est pas zébré d'une cicatrice.

Bref, le sort du monde ne repose pas sur ses frêles épaules.

Billy Stuart n'est qu'un jeune raton laveur ordinaire à qui sont arrivées des aventures extraordinaires.

Voici la cinquième histoire qu'il m'a racontée.

Alain M. Bergeron

Un 18 novembre dans la ville de Cavendish

MOT DE L'AUTEUR

Cher lecteur, je me présente : Je suis Alain M. Bergeron, l'auteur à qui Billy Stuart a raconté ses nombreuses aventures.

Ma présence dans ce livre se fait par l'intermédiaire du « Mot de l'auteur ». Tu repéreras facilement ces interventions grâce à l'encadré qui ressemble à une note collée dans la page.

« Un monde de glace » est dédié à la mémoire de Hergé, le génial créateur de Tintin. *Tintin au Tibet* est mon album préféré parmi son œuvre.

Alors, mon cher lecteur, ne t'étonne pas si tu trouves, au fil des pages, des clins d'œil à cette bande dessinée. Si tu ne la connais pas, je t'invite à la découvrir.

MESSAGE DE BILLY STUART

J'avais l'intention de passer le plus bel été de ma vie en compagnie des Zintrépides. J'ai commis une grosse erreur: j'ai accepté de m'occuper du chien Froufrou jusqu'à ce que l'école recommence. Et à cause de ce sale cabot, nous nous sommes retrouvés, les Zintrépides et moi, à devoir suivre la piste de mon grand-père, l'explorateur Virgile, qui avait remonté le temps...

Au fil de nos aventures, nous avons affronté le terrible Minotaure, un oiseau rokh géant, un poulpe monstrueux, des sirènes démoniaques, des milliers de crabes mangeurs de Zintrépides. Nous avons même fait la rencontre d'un cyclope qui avait des problèmes de vision...

Pour couronner le tout, je suis maintenant en train de congeler debout.

Il fait horriblement frrrrrrrrroid, ici.

Et non, ce n'est pas **MON** chien!

Cloué sur place

Je ne me souviens pas d'avoir eu si froid de toute ma vie. Ah, si ! Une fois !

Poussé par mon goût démesuré pour les écrevisses, je l'admets, j'avais cassé la glace pour plonger dans l'eau de la rivière Bulstrode, dans la FORÊT des Kanuks. Je m'étais emparé d'une grosse écrevisse à moitié enfouie dans le sable. Ce n'était pas intelligent de ma part. J'aurais pu me faire emporter par le courant, sous la GLACE, et être incapable de remonter à la surface, à mon point de départ.

Par chance, j'avais réussi à m'en sortir, heureux de ma prise. De retour sur la terre ferme, j'avais compris l'idiotie de mon geste, geste guidé par la gourmandise, dois-je le rappeler. On était au cœur de l'HIVER et le thermomètre frôlait les moins 15 degrés.

N'ayons pas peur des mots: j'avais été stupide. D'ailleurs, mon amie Foxy, la renarde, ne s'était pas gênée pour le crier sur tous les toits.

J'étais rentré à ma maison, rue **ROUGE ÉCOSSAIS**, à Cavendish, en grelottant; mon épaisse fourrure ne me protégeait plus du froid puisqu'elle était mouillée. Ce qui n'arrangeait rien, c'est que la neige s'était soudain mise à tomber à gros **FLOCONS**. Quand je suis arrivé chez moi, je ressemblais à un petit bonhomme de neige ou à un raton laveur albinos à **kilt**… Tout ça pour une écrevisse? Oui!

Fait-il aussi **FROID** en cet instant que dans mon douloureux souvenir? Je ne peux l'affirmer. L'importante variation de température est probablement pour quelque chose dans mon inconfort. Il n'y a pas deux minutes, je transpirais à grosses **gouttes** dans une forêt tropicale. J'emprunte une galerie dans une grotte et dès que j'en émerge, me voilà en plein enfer blanc et glacial.

Je suis cloué sur place, gelé, congelé, frigorifié, réfrigéré; la pureté de la neige est aveuglante, comme si des milliards de minuscules soleils scintillaient à la lumière du jour. J'essaie d'y voir clair, mais c'est inutile. Mes lunettes de ski alpin me seraient nécessaires aujourd'hui.

Autre inconvénient, je peine à respirer tant l'air **FROID** me brûle les poumons.

Rebrousser chemin est impossible. Je le sais depuis que je me suis lancé sur les · ∿ **traces** ∿· de mon grand-père Virgile. Une voie de passage ne peut être franchie que dans une seule direction. Il faut toujours aller de l'avant.

Lentement, mes yeux s'habituent à la clarté des lieux et l'éblouissement s'estompe. Les paupières plissées, je jette un **COUP D'ŒIL** derrière moi. C'est sans surprise que j'aperçois le flanc glacé d'une montagne. Dire que je viens de… là !

Je distingue devant moi des silhouettes que je reconnais rapidement : les Zintrépides !

Je respire avec plus d'aisance. De ma main, je protège, tant bien que mal, mon museau, sensible à ce **monstrueux** écart de température. Je pars rejoindre mes compagnons, qui m'avaient devancé dans ce monde nouveau. La marche est ardue, car je m'enfonce dans la neige jusqu'aux genoux. Mais je profite un peu des traces laissées par les autres pour ne pas m'enliser davantage.

Avec **bonheur**, je retrouve Muskie, la mouffette, Foxy, la renarde, et Yéti. C'est curieux, le corps de la belette semble invisible. Sa casquette et son uniforme aux couleurs des Zintrépides flottent dans le vide.

La renarde et la mouffette disent vrai: le **poil** brun d'été de la belette a été remplacé par celui blanc d'hiver, à l'exception du bout de sa queue resté noir.

En raison de sa nature, la belette peut ainsi se fondre plus aisément dans le décor et échapper à ses prédateurs ou faciliter la capture de ses proies.

Je me serais attendu à une blague du caméléon Galopin, dans le genre : « Tu as l'air d'une Lady Glagla, Muskie ! »

Le caméléon a-t-il traversé la paroi de glace ? Est-il demeuré en retrait ? Est-il… ?

Dans mon affolement, sans savoir où chercher, je fais quelques pas en avant…

SPLOTSCH !

Je me retrouve la tête dans la **NEIGE**. Celle-ci

s'accroche aux poils de ma figure comme lorsque Taupin, la brute de l'école, me fait subir un « lavage ».

Le « lavage » est une pratique barbare dont l'origine se perd dans la nuit des temps. Le supplice, car c'en est un, consiste à pousser le visage d'un adversaire dans la neige. Si le tortionnaire trouve l'exercice très drôle, le plaisir n'est pas forcément partagé par sa victime. L'auteur, qui a vu neiger, comme on dit dans le métier, a déjà subi pareille épreuve dans sa jeunesse...

Le problème avec la neige, c'est qu'elle est **FROIDE**. Je suis tombé assurément à cause de ce sale FrouFrou, toujours dans mes jambes au mauvais moment.

Je me relève en toute hâte, déterminé à lui faire un lavage.

Mais le Caniche n'est pas fautif. Dommage.

J'ai trébuché sur ce qui s'apparente à un morceau de glace.

C'est Galopin !

Il semble… **MORT** !

Léthargie

Galopin, le caméléon, n'a jamais raffolé de l'hiver, du froid et de la neige. Quand cette saison approche, il se renferme chez lui, ne sort pratiquement plus, espérant le retour des journées plus clémentes et **CHAUDES**.

Affronter les rigueurs du climat n'est pas plus dans son tempérament que dans son métabolisme, qui, au contact du froid, ralentit considérablement ses activités.

— Avec sa science du **camouflage**, il est passé du vert au blanc en quelques secondes, me raconte Muskie.

— Il avait peine à bouger. Foxy et moi, on lui a offert un câlin pour le réchauffer. En guise de réponse, il a tiré la langue un peu… et son visage a **GELÉ** comme ça.

Chers lecteurs et chères lectrices, si vos parents vous disent de ne pas faire de grimaces l'hiver, parce que vous pourriez rester la figure figée ainsi, vous devez les écouter! Regardez de quoi a l'air notre ami Galopin!

En d'autres circonstances, j'aurais qualifié la situation d'amusante et de grotesque. C'est qu'il a une drôle de tête, maintenant, le caméléon. Pourtant je n'ai pas du tout le goût de rire.

— Il n'est pas mort, Billy Stuart, cherche à me rassurer Foxy, spécialiste des PREMIERS ✚ SOINS au sein de notre troupe. Son pouls est faible. Galopin est en état de léthargie.

Inquiet malgré les propos de la renarde, je prends le caméléon dans mes bras. Son corps me rappelle un morceau de viande sorti d'un congélateur. Je *fais attention* à sa langue tendue hors de sa bouche. Un simple petit coup pourrait la faire casser.

Le décor est si immaculé que Sampar aurait pu laisser cette page toute blanche. À la regarder, on aurait pu imaginer un caniche blanc poursuivi par un ours polaire en pleine tempête de neige.

À mon invitation, Foxy et Muskie s'approchent de moi. Nous joignons nos mains… Yéti a compris mes intentions et grimpe sur elles.

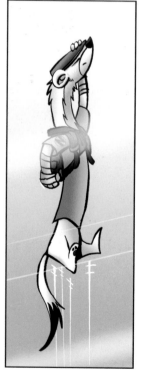

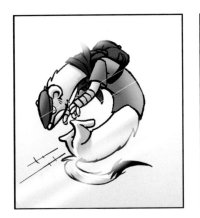

La neige jusqu'aux cuisses, je m'élance pour tirer Yéti de ce mauvais pas. Une autre bourrasque nous projette de la neige au visage. L'opération «lavage» se continue.

— Il y a une FORÊT, à une distance de deux kilomètres, pas plus, explique Yéti, tout en chassant la neige de sa fourrure. On ne l'aperçoit pas d'ici, parce que nous sommes dans le creux d'une vallée. Ça donne l'illusion qu'il y a que de la neige partout.

— Excellente nouvelle, dis-je. On s'y rend tout de…

— MINUTE! m'interrompt Foxy. Où est Galopin?

— Il est i…

Ça parle aux millions d'écrevisses de la rivière Bulstrode!

LE CAMÉLÉON A DISPARU.

CHAPITRE 3

Prison de neige

La bourrasque qui a poussé Yéti plus loin a déplacé une bonne quantité de neige et a enterré Galopin. S'il était encore vert, comme pendant notre dernier séjour en FORÊT TROPICALE, il serait facile à localiser. Mais là, il a tourné au blanc et il est totalement intégré à son nouvel environnement. L'autre problème, c'est son incapacité à nous signaler sa présence, lui qui est frappé de léthargie.

Par où commencer? La deuxième BOURRASQUE a effacé nos traces. Galopin pourrait être n'importe où dans un rayon de cinq mètres. Le temps nous est compté. Il y a urgence!

— FrouFrou! FrouFrou va retrouver notre ami, croit Foxy.

En entendant son nom, le chien, recouvert de neige, bondit vers la renarde et vers moi.

OÙ EST GALOPIN? CHERCHE! CHERCHE, SALE CABOT!

OUAF! OUAF!

OUAF! OUAF! OUAF!

NON! STUPIDE CHIEN! TROUVE GALOPIN, LE CAMÉLÉON. TU... AAAH! J'AI L'IMPRESSION DE M'ADRESSER À UN HAMSTER!

TU N'ES PAS DOUÉ, BILLY STUART.

TU DOIS OPTER POUR LA GENTILLESSE ET LA POLITESSE. COMBIEN DE FOIS FAUDRA-T-IL QUE JE TE LE DISE?

MON BEAU FROUFROU D'AMOUR, QUE JE T'AIME!

TU DOIS TROUVER NOTRE AMI GALOPIN.

OUI, JE SAIS QUE TU EN ES CAPABLE!

PFFFFT! JE PENSE QUE TON CHIEN VEUT REPÉRER UN ENDROIT POUR FAIRE SES BESOINS...

CE N'EST PAS MON CHIEN!

Depuis que je me suis engagé à m'occuper du caniche de nos voisins, les MacTerring, pendant la durée des vacances, ce FrouFrou de malheur fait tout en son pouvoir pour me gâcher la vie, la première action étant, bien sûr, de respirer.

Le chien fouille et farfouille partout. Si j'avais une montre à mon poignet, je la consulterais pour lui indiquer qu'il doit se hâter. Incapable de demeurer les bras croisés à attendre qu'un **stupide cabot** déniche mon ami Galopin, j'entreprends mes propres recherches et j'incite les Zintrépides à en faire autant.

Je me rends là où j'estime avoir laissé le caméléon glacé et, avec mes mains, je creuse la neige. Concentré à la tâche, je n'entends pas le chien s'avancer vers moi. C'est une fois son haleine **épouvantable** à portée de mon museau que je découvre sa présence.

— **QUOI ?** lui dis-je, à la limite de l'exaspération.

Au son de ma voix, il jappe et halète joyeusement. Il désire jouer ? J'attrape un gros paquet de neige. Je vais lui rafraîchir les idées, moi.

FrouFrou s'éloigne à grands bonds. Il s'arrête, sent et creuse.

Nous nous approchons de lui. Notre marche n'est guère facile : nous avons de la **NEIGE** jusqu'aux cuisses. Yéti, la belette, est sur le dos de Muskie, au grand déplaisir de la mouffette.

— Je ne suis pas une bête de somme, se plaint-elle à Yéti.

Le caniche *aboie* aux abords du trou.

— C'est Galopin ! s'écrie Yéti.

Nous nous hâtons de le sortir de sa **prison de neige**. Je suis conscient que ça fait bizarre à dire, mais il a l'air… bien conservé !

Foxy évalue sa condition physique.

— Il reste léthargique, mais vivant. Bravo, mon beau FrouFrou d'amour, que je t'aime !

Le caniche ne l'écoute plus. Son flair paraît attiré par une nouvelle odeur. Le museau levé, il en établit la provenance et se précipite à une dizaine de mètres de nous. Puis, il recommence à creuser. Intrigués par son comportement, les Zintrépides le rejoignent.

FrouFrou travaille avec hargne pour atteindre son but. Il **gronde**, il *RUGIT*, il *ABOIE*. Qu'est-ce qui se cache là-dessous ? Le chien agrippe un truc avec sa mâchoire et

tire. Un craquement sinistre salue sa réussite. Il brandit son trophée qui lui pend dans la gueule. **C'EST UNE PATTE !**

D'un commun accord, nous agrandissons le trou pour en apprendre plus sur sa découverte.

— Ah, ben, ça alors ! s'exclame Foxy, ébranlée.

Nous venons de mettre au jour la carcasse d'un caribou. Mais ce qui nous inquiète, ce sont les horribles marques de **MORSURES** dans le cou de la bête…

1. Cette nuit il est tombé deux fois plus de neige dans le jardin de Billy Stuart que dans celui de Foxy. Pourquoi?

2. Quel est le comble du malheur pour un bonhomme de neige?

3. Je suis Billy Stuart mais je ne suis pas Billy Stuart. Qui suis-je?

4. Que dit un sapin de Noël qui arrive en retard le soir du réveillon?

Solution à la page 156

CHAPITRE 4

Un mur de neige

Qui peut bien avoir fait ça?

— Qu'il y vienne! Non, mais qu'il y vienne, le **monstre**! s'énerve Yéti.

Il balance des coups de poing dans le vide.

Nous ne pouvons détacher notre regard de l'imposante carcasse de caribou. Pour terrasser pareille bête, qui pèse dans les **300 KILOS**, il faut être doté d'une grande force.

La belette désigne l'animal:

— Vous voyez ce qui se produit quand on me marche sur le gros orteil? se vante Yéti sans raison.

Un vent glacial me fait **frissonner** et balaie la neige qui recouvre en partie le caribou. Foxy, Muskie, Yéti et moi utilisons nos queues touffues pour nous protéger le museau des morsures du froid.

Il n'y a que FrouFrou qui grelotte devant moi. Devrais-je le réchauffer de ma fourrure? Le caniche m'observe comme s'il souhaitait, de ma part, une solution à son malaise. Qu'est-ce qui m'arrive? Je ressens un léger pincement **au cœur**… Le froid doit embuer mon cerveau. Moi, éprouver des sentiments pour ce synonyme de malheur à quatre pattes? J'essaie de me persuader du contraire. Mais j'en suis incapable… **J'HÉSITE.**

Foxy me libère de mes tracas.

QUITTONS CES LIEUX ET CHERCHONS UN ABRI DANS LA FORÊT.

EN ROUTE!

LE CARIBOU, IL S'EST TRAÎNÉ JUSQUE-LÀ POUR MOURIR?

AH, ÇA NON!

JE DIRAIS QUE CE QUI L'A TUÉ L'A LAISSÉ SUR PLACE EN ATTENDANT DE LE DÉVORER.

LA NEIGE PERMET DE CONSERVER LA VIANDE ET DE LA METTRE À L'ÉCART DES AUTRES PRÉDATEURS.

C'EST COMME SON GARDE-MANGER.

EXACTEMENT! J'AGIS DE LA MÊME FAÇON AVEC LES GRIZZLIS QUE J'ATTRAPE...

L'obstacle auquel nous faisons face est double : la neige, qui nous ralentit, et la pente **ascendante**, qui nous mène au haut de cette dune, sculptée selon les caprices du vent.

Plus d'une fois, nous nous arrêtons pour nous reposer. Les fréquentes **bourrasques** nous aveuglent et nous fouettent le visage ; elles n'aident en rien notre action.

C'est rendus au sommet de la colline que nous apercevons la forêt. La moitié du chemin est accomplie.

— Des sapins ! dis-je avec un grand point d'exclamation. Nous pourrons nous y abriter !

HAW-HAWAAAH!

— Vous avez entendu ça ? dit Muskie, alarmée, connaissant déjà notre réponse.

— Qu'ils y viennent ! Non, mais qu'ils y viennent ! s'excite Yéti.

Le cri paraissait surgir du cœur de la forêt.

— Là ! Là ! dis-je, horrifié.

Les Zintrépides cessent subitement de respirer. Au loin, au-dessus de la FORÊT, le ciel gris se déchaîne. Un mur de neige roule vers nous à une vitesse vertigineuse, comme une avalanche, mais à l'horizontale. Son grondement, qui n'a rien du cri d'il y a quelques secondes, parvient jusqu'à nos oreilles. Il est terrifiant.

BROOOOUUUMMM !

Ça parle aux millions d'écrevisses de la rivière Bulstrode !

Il sera **IMPOSSIBLE** d'atteindre la forêt en marchant ou en courant. Nous allons être ensevelis sous des tonnes de neige.

En évoquant la scène, Billy Stuart a fait le lien avec les tempêtes qui s'élèvent dans le désert : un mur de sable qui ravage tout sur son passage.

— Faites comme moi ! crie Yéti afin de couvrir le rugissement de la tourmente.

La belette se met sur le ventre et *glisse* sur la pente descendante en direction de la forêt en se propulsant avec ses pattes arrière.

— Bonne idée !

J'installe Galopin sur mon dos. Foxy agit de même avec FrouFrou, et nous dévalons la dune de neige. De vraies loutres !

En d'autres circonstances, j'avouerais le plaisir que j'éprouve à exécuter cet exercice. Mon ventre sert de planche à neige, de toboggan, de *crazy carpet*.

C'est moi qui ai rajouté la dernière référence à l'intention des parents et des professeurs de nos jeunes lecteurs.

Pour l'instant, ce n'est pas un jeu : il en va de notre vie ! Yéti, que rien n'ébranle, s'amuse comme un petit fou en manifestant sa joie.

Aurons-nous le temps d'arriver à la forêt ? Il me semble que le mur de la tempête s'approche de plus en plus vite. Le **BRUIT** que cela émet est si puissant que nous ne pouvons plus nous parler sans hurler.

— DÉPÊCHEZ-VOUS, TROUPE !

Carburant à l'énergie du désespoir, nous arrivons à la lisière du bois à la seconde précise où le mur de neige nous atteint. Chacun des Zintrépides se blottit contre le tronc d'un arbre, sans savoir s'il résistera à la furie de la neige déferlante et des *vents violents*. Je n'ai jamais rien vu de tel de toute ma vie. On dirait que mille trains roulent près de nous. Puis, aussi soudain qu'un éclair, le vacarme se tait. Il n'y a que nos respirations haletantes qui brisent le silence.

Nous sommes vivants !

CHAPITRE 5

À l'abri!

Oui, après avoir évité le mur de neige à la dernière seconde, nous sommes bel et bien **VIVANTS**. Mais notre situation reste précaire.

Dans nos sacs, nous n'avons que les maigres provisions rapportées de la **FORÊT TROPICALE** du monde précédent. Et le soleil décline rapidement.

— Troupe, dis-je, il faut absolument nous construire un abri avant la tombée de la nuit.

— Tu as raison, Billy Stuart, note Foxy, alors que FrouFrou gambade autour d'elle. Les **NUITS** doivent être très froides par ici.

— Au-delà de la forêt, il y a une montagne, signale Yéti, qui s'est souvenu de ce détail aperçu lors de son envolée. Peut-être des gens habitent-ils dans les environs?

— C'est loin d'où nous nous trouvons? demande Muskie, la mouffette.

— Plutôt, oui, répond la belette. Que fait-on, Billy Stuart?

La priorité demeure de se fabriquer un abri de fortune pour y passer la nuit. Sinon, nous courons le risque d'être transformés en GLAÇONS, comme ce pauvre Galopin.

Tous les Zintrépides, à l'exception du caméléon, ont participé à des camps d'hiver dans la forêt des Kanuks, aux abords de notre ville, Cavendish. Nos connaissances en la matière nous seront fort utiles. Incidemment, «notre» forêt regorge d'une variété d'arbres, dont des chênes, des érables et des bouleaux. Or, ici, ne croissent que des sapins. Ce qui constitue, malgré tout, une bonne nouvelle, car avec leurs BRANCHES, nous pourrons facilement concevoir un refuge.

Nous nous enfonçons dans la forêt pour repérer un GROS sapin aux branches généreuses et près du sol enneigé.

Nous l'apercevons tous au même moment. Il est immense. Nous devons nous mettre à deux pour encercler le tronc. À sa base, les branches, lourdes de neige, paraissent former un dôme. Si c'était un 🎄 **sapin de Noël** 🎄, il trônerait devant l'hôtel de ville de Cavendish. Il fera l'affaire.

Après nous être assurés qu'aucun animal sauvage n'en a fait sa cache, nous nous faufilons sous ses branches.

— On creuse ici, indique Muskie.

Nous travaillons ~~**vite**~~ et bien. Je creuse un large trou. Foxy sort la neige du repaire, Muskie la replace sur les branches de sapin et la tape avec ses mains et sa queue.

Après dix minutes, il y a rotation des postes. Yéti, de son côté, a la tâche de faire un feu en frottant deux bouts de bois ensemble.

Billy Stuart m'a tout expliqué, avec détails à l'appui, comment construire un abri dans la neige et réussir à allumer un feu. Voici un avis de précaution destiné aux adultes : n'essayez pas d'imiter ces experts sans l'aide d'un enfant.

Au bout d'un certain temps, la neige chassée du trou dresse maintenant la charpente de notre IGLOO, version Zintrépides. Pour sa part, le vaillant Yéti est parvenu à allumer le FEU. Il l'alimente avec des brindilles. Bientôt, une douce chaleur règne à l'intérieur de notre camp.

Soudain, un doute m'assaille. Je vérifie dans mon aumônière.

— ZUT ! dis-je à la belette.

En silence, nous partageons nos maigres victuailles autour du feu. La renarde donne une portion de son repas au chien, FrouFrou.

Foudroyé par le regard noir de Foxy, je quitte le camp. **Brrrr!** Il fait encore plus froid que cet après-midi. Je cible un endroit pour y percer un trou, le plus haut possible, sans endommager notre refuge. Une légère fumée s'en dégage aussitôt. Parfait.

Mon labeur terminé, je lève la tête pour distinguer la cime de notre sapin. Ça parle aux millions d'écrevisses de la rivière Bulstrode! Ce que je découvre me coupe le souffle. Une éclaircie favorise un ciel pur et étoilé, sur fond de spectaculaires **aurores boréales**. Je n'en ai jamais vu d'aussi belles. On dirait de gigantesques rideaux de couleurs, agités par un vent doux.

Ce n'est pas la morsure du froid qui m'incite à retourner à la chaleur et à la sécurité de notre abri…

C'EST LA PEUR!

J'ai aperçu au loin, entre les arbres, une haute silhouette, poilue, qui se déplaçait.

Et elle s'amenait dans notre direction!

Pour décoder ce message secret, dis le nom des personnages, les lettres et les chiffres à voix haute :

A K R S É

A 10   È 13 M É

É   7 N R V

Solution à la page 156

CHAPITRE 6

Un œil noir

Dès que je fais mention de la présence de la créature dans la FORÊT, les réactions diverses fusent. Il y a Yéti que Muskie intercepte par le collet pour l'empêcher de s'élancer à l'extérieur et de s'en prendre à ce qui se balade dehors.

Foxy, la renarde, ne cache pas son scepticisme.

— Tu n'aurais pas été victime d'une hallucination, Billy Stuart? Un trop grand apport d'air froid à ton cerveau? croit-elle.

Je balaie ses propos du revers de la main et je chuchote:

— Non! C'était réel! J'aurais préféré voir une écrevisse géante, farcie au poulet, dans une assiette. Et parlez moins fort! Cette créature poilue se dirigeait vers notre camp et il ne faudrait pas l'alerter.

Comme s'il m'appuyait, le chien **gronde** en fixant un mur. Je lui ferme le clapet alors qu'il était sur le point d'aboyer.

— Écoutez! dis-je aux Zintrépides, en posant mon index sur ma bouche.

Nous prêtons l'oreille.

— On n'entend rien, Billy Stuart, à part les grognements de ton chien, se plaint Muskie à voix basse.

— Ce n'est pas MON chien, lui dis-je, furieux.

— « Ça » s'approche, murmure Foxy dont l'ouïe fine est l'une des qualités.

On distingue maintenant les pas de la créature qui écrasent la neige. De plus en plus près de nous…

— Le feu! Le feu! dis-je, terrorisé. La créature va le sentir et nous repérer.

TROP TARD! Elle est à la hauteur de notre abri. Elle a cessé de marcher.

J'appréhende un coup de poing qui démolira notre refuge. Et si je laissais  FrouFrou s'échapper par la sortie… Il aurait enfin son utilité dans cette histoire. En faisant distraction, il nous permettrait de nous sauver. Ce serait un noble sacrifice et tant pis pour les MacTerring.

Nous nous plaquons contre les murs de neige. Tous nos regards se tournent vers l'ouverture que j'ai faite pour la circulation de l'air. Ce qui me donne une idée.

— Tous comme moi, troupe.

Je m'empare d'une large branche et me cache derrière. Les Zintrépides m'imitent. **À temps !** Dans le trou vient de se présenter un œil noir, sur fond de visage velu. L'éclairage rougeoyant, jeté par les flammes vacillantes, ajoute à l'aspect terrifiant de l'apparition. Nous retenons notre souffle.

Puis, comme si la créature voulait nous impressionner, elle se recule un peu et ouvre sa gueule barbelée de dents acérées à faire frémir. Impossible de ne pas établir le lien entre cette DENTITION DE L'ENFER et la blessure mortelle infligée au caribou encore dans son garde-manger.

Brutalement, son puissant bras poilu traverse le toit de notre abri et frappe le sol tout juste entre Muskie et moi. Sa main arpente le plancher, à la recherche de…

Galopin! Galopin est à découvert!

TROP TARD! La main s'abat sur le caméléon. Nous abandonnons nos branches de sapin pour agripper le bras et empêcher le monstre de filer avec Galopin. Mais il est trop fort pour nous.

La belette, qui n'a pas froid aux yeux en ce pays de glace, exécute une ultime tentative : elle plante ses dents dans le **bras poilu**. La créature émet une plainte, sans pour autant délaisser sa proie. Puis, le bras disparaît, Galopin toujours prisonnier de son étau.

Le trou retrouve son aspect de NUIT NOIRE. Les pas dans la neige résonnent à nouveau et s'éloignent de notre abri.

Je suggère à mes compagnons de rentrer à l'abri et de s'armer de patience jusqu'au *lever du jour*. Nous pourrons suivre plus facilement les traces dans la neige à la lumière.

— En espérant que le vent ne les balaiera pas, soupire Muskie.

La mouffette répare en **vitesse** le trou d'aération qui a été agrandi par la créature.

LES STUART

Le 6 avril, les Stuart aiment se réunir en famille à Cavendish pour célébrer le jour du Tartan. À cette occasion, deux papas et deux fils Stuart se retrouvent autour de la table. Il n'y a que trois écrevisses au chocolat sur la table. Pourtant, chacun en mange une. Comment est-ce possible ?

Solution à la page 156

Le squatch-squatch

Rarement nuit m'aura paru aussi longue. Il fallait entretenir le feu pour ne pas souffrir du froid. La crainte du retour de la créature ne composait pas un bon oreiller pour dormir. Je m'ennuie de mon lit de la rue Rouge écossais.

Dès les premières LUEURS DE L'AUBE, nous émergeons de l'abri. Avec bonheur, je découvre que le vent n'a pas effacé la piste dans la neige. Les empreintes de pas sont impressionnantes à regarder.

— Ça doit mesurer plusieurs mètres, Billy Stuart, estime Foxy.

— Plus c'est grand, plus ça tombe de haut ! fanfaronne Yéti. Qu'il y vienne ! Non, mais qu'il y vienne !

— Ça m'apparaît des marques d'une créature qui se déplace debout, lui dis-je. **Un monstrueux gorille ?**

Sasquatch, Yéti, Migou, Abominable Homme des neiges... Cette créature fantastique porte plusieurs noms. Elle aurait été observée (même filmée) par plusieurs témoins. Toutefois, son existence n'a pas été prouvée scientifiquement à ce jour, c'est-à-dire que la bête n'a pas encore été capturée, tuée, disséquée ou faite prisonnière d'un zoo.

Nous abandonnons notre abri pour partir en expédition. Au fur et à mesure que nous avançons à la file indienne dans la dense forêt de sapins, je conclus que la décision de la nuit précédente, bien que très pénible à prendre, était sage. Tenter de rattraper la créature aurait été suicidaire.

Les longues enjambées témoignent de la taille du ravisseur. Aux endroits où il est évident qu'il a couru, il nous est impossible de marcher dans ses pas tant est grande la distance entre chacun d'eux.

De sombres pensées m'assaillent, pensées que j'essaie

de chasser de mon esprit : et si le Migou avait déjà dévoré le caméléon ? Ou s'il s'était débarrassé de lui en cours de route ? Ou si le monstre lui réservait le même sort qu'au caribou, soit de le mettre au frais dans son garde-manger naturel ? Je refuse d'accepter ces éventualités.

Nous traquons le Migou dans la forêt avec, pour seul guide, les pas dans la neige.

— On a de la chance, signale Muskie. À la moindre rafale, on pourrait perdre la piste et…

J'aurais dû lui dire de se taire, mais il était trop tard. Sur ces mots, un vent violent a soulevé la neige et nous aveugle. L'instant d'après, le calme revenu, je m'aperçois que la neige a recouvert totalement les empreintes du Migou. Je suis furieux !

— **AH !** Bravo, madame la mouffette ! Tu ne pouvais pas t'en empêcher ! Chaque fois que tu parles, tu appelles le malheur !

— **QUOI ?** Comme si c'était de ma faute, Billy Stuart ! se fâche-t-elle à son tour.

En colère, elle gratte la neige, grogne puis, subitement, se retourne et lève la queue. Foxy s'interpose entre nous deux.

— **HOLÀ !** Cessez de vous disputer ! Yéti a retrouvé la piste plus loin.

Nos **NERFS** sont à vif. Le manque de sommeil et la tension de la nuit dernière y sont certainement pour quelque chose. Je bafouille des excuses. Muskie range ses armes – elle baisse la queue – et nous rejoignons la belette.

OUAF!
OUAF!
OUAF!

NE T'ÉCARTE PAS
TROP DE NOUS,
FROU FROU.

SI! SI!
ÉCARTE-TOI
UN PEU!

SNIF!
SNIF!

CELLES-LÀ
RESSEMBLENT
À DES TRACES
D'OURS!

D'UN GROS OURS! VOIS COMME LA NEIGE S'EST ENFONCÉE SOUS SON POIDS.

UN GROS OURS BLANC!

COMMENT SAIS-TU ÇA, TOI? ET QUELLE EST LA COULEUR DE SES YEUX?

LA BÊTE A ACCROCHÉ DES BRANCHES À SON PASSAGE.

ON EST SUR LA MAUVAISE PISTE, TROUPE.

OUAF! OUAF! OUAF!

OUAF! OUAF!

QUOI ENCORE?

FrouFrou, qui n'a pas écouté Foxy, s'est éloigné de notre groupe, mais pas assez pour s'égarer… Il JaPPe pour indiquer qu'il a relevé des indices. La renarde est la première à le rejoindre. Elle caresse le chien pour le féliciter.

— Ici ! nous dit-elle. Les traces de la créature.

Cette bonne nouvelle en cache une mauvaise : les empreintes du gros ours blanc croisent celles du Migou. Il s'est lancé sur sa piste… et sur celle de Galopin !

CHAPITRE 8

Le combat des géants

Des cris furibonds se font entendre. Ils proviennent d'une rangée de  sapins , dont les extrémités des branches se touchent et forment une barrière naturelle. Nous avançons avec prudence, profitant de la présence des arbres pour nous camoufler.

Le spectacle offert à nos regards est SAISISSANT. On découvre que les cris sont ceux du Migou et de l'ours blanc. Ils sont en train de se battre. Même s'il concède poids et taille à son adversaire, le Migou ne recule pas d'un centimètre devant la formidable bête, debout sur ses pattes arrière.

L'image que j'en ai est celle d'un terrifiant combat de lutte. Les deux antagonistes cherchent à se pousser, à se frapper, à se mordre. L'affrontement est très violent.

— Galopin ! **Là !** Appuyé contre un arbre ! signale Foxy.

Oui ! Il est à une dizaine de mètres de notre position. Sa vue me remplit de joie. Notre ami est toujours léthargique, mais, je le présume, vivant. Le Migou l'a laissé à cet endroit afin d'avoir les mains libres pour se défendre.

— *On doit le sortir de là !* dit Muskie.

J'évalue le sens du vent. Nous avons une chance : il souffle sur notre visage. Donc, il ne transportera pas notre odeur vers eux. J'avise mes compagnons que je vais tenter de me faufiler entre les arbres jusqu'au caméléon pour le ramener.

Pendant que le combat des titans continue de faire rage, sans que l'un ou l'autre prenne nécessairement le dessus, je me dirige vers Galopin en me camouflant derrière les troncs d'arbres. Je suis maintenant suffisamment près pour distinguer les blessures à vif que s'infligent le Migou et l'ours.

Je ne suis plus qu'à deux mètres du caméléon. Le problème, c'est que l'arbre contre lequel il est appuyé est à découvert. Je n'ai plus le choix : je dois courir et risquer d'être vu. Il y va de la vie de mon ami… et de la mienne.

JE FONCE !

Gagné ! J'ai atteint mon compagnon sans avoir dérangé la bagarre et sans avoir été repéré. Je saisis Galopin à bras-le-corps. **Brrrr !** Il est froid ! Après un bref regard aux belligérants, je décampe vers les Zintrépides.

De tous les revirements de situation que j'aurais envisagés, celui-là est bien le dernier.

Croyant que je voulais jouer, ce sale cabot de  Froufrou est venu me rejoindre en manifestant bruyamment sa joie… J'aurais dû le donner en pâture aux dionées géantes !

Et c'est à cet instant que je le remarque.

Le silence **LOURD** et OPPRESSANT. J'en comprends aussitôt la signification. Il suffit de me retourner pour découvrir, sans surprise, que le Migou et l'ours ne se battent plus. Ils ont entendu les aboiements du chien.

L'ours blanc réagit en un ÉCLAIR. En dépit de sa taille, il bondit vers nous et franchit en quelques secondes la distance qui nous sépare de lui. Qui sera le premier élément à son menu? *Galopin*, *FrouFrou* ou **moi**? Souhaitons que ce soit le chien! C'est de sa faute, après tout!

Comme s'il venait de frapper un mur, l'ours blanc s'écrase dans la neige, à quelques mètres de moi. Il a été rattrapé par le Migou qui l'a plaqué au sol. Leur lutte s'engage de plus belle.

Je ne préjugerai pas des résultats de ce match et je déguerpis avec Galopin sous le bras ainsi que FrouFrou sautillant à mes côtés. Je retrouve mes compagnons et nous décampons.

« **HAW-HAWAAAH!** », hurle au loin le Migou, probablement en colère de voir que nous lui avons échappé.

Une précision s'impose à ce stade-ci du récit. Il n'est pas toujours évident d'écrire le cri d'un animal ou d'une créature, encore davantage si elle est fantastique. Pour celui du Migou, avec l'approbation de Billy Stuart, j'ai consulté un classique : *Tintin au Tibet*, par Hergé. En le criant dans sa maison, Billy a convenu que, oui, c'était assez conforme à ses souvenirs et à la réalité. J'ai dû rassurer sa mère, qui croyait qu'un abominable homme des neiges avait envahi la demeure de la rue Rouge écossais.

Devrais-je pour autant remercier l'ours blanc? Hum…
Je n'en suis pas convaincu. **Tomber** sous les griffes de
l'ours ou entre les mâchoires du Migou, aucun des
choix ne me semble mieux que l'autre.

Nous courons **ventre à terre** pendant plusieurs
minutes. Muskie, Foxy et moi, nous nous échangeons
Galopin afin de ne pas trop nous épuiser et ralentir
notre fuite.

La direction à suivre est facile : il faut revenir sur nos pas, vers l'abri. C'est là notre seul point de repère dans cette 🌲 forêt de sapins 🌲. Parfois, nous nous arrêtons quelques secondes pour reprendre notre souffle et pour vérifier si nous sommes poursuivis.

Je suggère que FrouFrou fasse le guet tandis que nous nous sauvons. Proposition rejetée d'emblée par Foxy.

— Franchement, Billy Stuart !

Les cris qui nous parviennent sont de plus en plus éloignés. On peut presque les confondre avec le bruit du vent qui fait **CRAQUER** les arbres. Rien n'est plus sûr…

— L'abri ! s'écrie Yéti, la belette.

Avec soulagement, nous regagnons notre quartier général.

— On ne reste pas ici, dis-je. **Sortons** au plus vite de cette forêt de malheur.

CHAPITRE 9

Au-delà de la forêt

La belette se porte volontaire pour une tâche périlleuse.

— Je *grimperai* au sommet du sapin afin d'avoir une vue d'ensemble sur les environs. Nous prendrons alors une meilleure décision pour la suite des choses.

J'étudie la configuration des branches du sapin. *Agile* comme un singe, notre ami ne devrait avoir aucune difficulté à atteindre la cime. Et c'est plus simple de cette façon que d'essayer de le lancer tout là-haut, ce qui serait insensé à moins d'avoir une catapulte sous la main.

— D'accord, Yéti ! Tu peux…

La belette n'a pas attendu ma permission pour entamer son *ascension*.

— … y aller !

Avec **rapidité**, l'infatigable Yéti monte le long du tronc, s'appuyant à peine sur les branches pour se hisser. L'entreprise, pourtant exigeante, lui paraît facile.

— Pourvu que le squatch-squatch ne le voie pas, exprime Muskie.

Mais j'y pense : si nous avons tous le museau en l'air, qui surveille nos arrières ? Le Migou serait capable de rappliquer ici sans qu'on s'en rende compte. Méchante surprise !

J'avise les Zintrépides que j'assure la garde. Le chien se poste près de moi pour m'accompagner dans ma tâche.

Ce qui, au départ, nous était apparu comme un monde de neige et de GLACE sans fin se transforme d'heure en heure; d'abord, la forêt de sapins, puis la montagne et, sur ses flancs, le village. Il suffit d'arriver à voir PLUS LOIN que le bout de son museau.

Avec des branches, nous avons confectionné un traîneau rudimentaire pour y allonger le léthargique Galopin et le tirer dans la NEIGE. C'est plus aisé et plus commode que de le transporter dans nos bras.

— En avant, les Zintrépides.

Pour faciliter nos déplacements dans la neige, encore une fois les **BRANCHES** du sapin nous sont fort utiles. Nous les installons sous nos pieds en guise de **raquettes**. Il n'y a que FrouFrou, ce sale cabot, qui saute sur le traîneau de Galopin. La tête au **VENT** et la langue pendante, il se tient comme s'il roulait à bord d'une voiture, la vitre ouverte.

PARESSEUX!

Pour nous, bien que chaussés de raquettes qui sentent bon le sapin, avancer dans la **NEIGE** n'est pas tâche aisée.

— Soyons sur nos gardes, prévient Muskie aux aguets.

Elle a raison. Le Migou est peut-être tapi sous des branches de sapin, **Camouflé** sous une couche de neige ou posté dans un arbre, prêt à nous tomber dessus.

Surtout que, parfois, je crois entendre un cri au loin qui pourrait être le sien…

— Le squatch-squatch est à nos trousses, estime la mouffette, la queue relevée, parée à faire feu.

Il est décidé que, pour le bien de tous, Muskie marcherait désormais derrière le groupe…

À l'occasion, Yéti, la belette, se hisse dans un sapin de haute taille, pour s'assurer que nous sommes encore sur la bonne voie. L'épaisse couverture NUAGEUSE qui a envahi le ciel au cours de la dernière heure nous cause des problèmes de repérage. Ajoutons à cela les fréquentes bourrasques qui nous enveloppent de neige et nous voilent la vue, et le portrait de la situation est assez global et juste, merci.

Il nous faut trois heures avant de sortir enfin de la forêt de sapins. Nous sommes épuisés, mais soulagés à la fois. Et affamés. Nous n'avons rien mangé depuis hier soir.

HAW-HAWAAAH!

Ça parle aux millions d'écrevisses de la rivière Bulstrode.

— Le squatch-squatch ! s'écrie Muskie.

— **la Créature !** hurle Foxy.

— Le Migou ! dis-je.

— Je m'occupe du Poilu ! déclare Yéti, refermant ses poings. Qu'il y vienne ! Non, mais qu'il y vienne !

Notre ennemi a surgi d'entre deux sapins.

FUYONS !

Instinctivement, **NOUS FONÇONS** droit devant, hors de la forêt. Un coup d'œil par-dessus mon épaule m'indique que le Migou devait penser que je m'adressais à lui,

car il court lui aussi! **Vers nous!** Et vite en plus! Il semble flotter au-dessus du sol tant il se déplace rapidement, en dépit de la neige. Il nous aura rejoints d'ici peu.

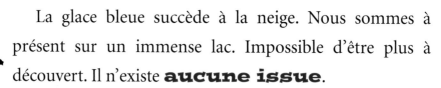

La glace bleue succède à la neige. Nous sommes à présent sur un immense lac. Impossible d'être plus à découvert. Il n'existe **aucune issue**.

Le Migou émerge de la forêt à son tour. Il s'arrête brusquement aux abords du lac. Il nous regarde, figé, alors

que nous fuyons sur la surface glacée. Quelle est la raison de son étrange attitude? Pourquoi refuse-t-il de s'y aventurer? Pour toute réponse, il pousse un cri:

HAW-HAWAAAH!

Et réintègre la forêt.

Malgré notre peur, nous avons tous interprété ce cri de la même façon. Ce n'est pas de la rage ou de la frustration.

Mais de la tristesse…

LES DEVINETTES

Billy Stuart
a une devinette
pour Foxy :

– Il y en a un dans une minute, dit-il. Il y en a
deux dans une heure, mais il n'y en a aucun dans
un jour. De quoi s'agit-il ?
Foxy réfléchit.
– Euh... dit-elle.
Billy est déçu. La rusée renarde a trouvé la
réponse. Et toi ?

Yéti
demande à Galopin :

– Un canard marche sur la
plage. Il s'arrête et regarde une affiche
indiquant « Baignade interdite ». Après une
minute, le canard reprend sa marche et entre
quand même dans l'eau. Pourquoi ?

Galopin a beau chercher, il ne sait
vraiment pas.

Toi non plus, tu ne
trouves pas ?

Solution à la page 157

Une masse noire sous la glace

Nous devons traverser une grande partie du lac pour atteindre le village au pied de la **MONTAGNE**. La glace bleue d'une grande transparence est d'une bonne épaisseur. Malgré son apparente fragilité, on y circule sans danger. J'observe l'eau bouger là-dessous. La sensation de marcher sur l'eau est vertigineuse.

À l'occasion du WordFest de Calgary, à l'automne 2010, j'étais allé souper à la Calgary Tower. Au sommet, où le spectateur a une perspective magnifique sur cette ville de l'Ouest canadien, les plus hardis pouvaient se promener à leur guise sur un plancher de verre suspendu au-dessus du vide. Inutile de préciser que je n'étais pas de ce groupe.

— On aurait dû apporter nos patins, s'exclame Yéti, trop heureux de *glisser* sur la surface gelée du lac.

Je n'ai, de ma courte vie, jamais vu une glace plus belle, pas même dans un aréna après le passage de la **Zamboni** ! Je cours pour faire des dérapages et rire ! Après des heures aussi intenses que les dernières vécues à sauver Galopin et à fuir le Migou, m'amuser quelques minutes me fait le plus grand bien.

Au-dessus de nos têtes, le ciel se dégage en quelques minutes et retrouve sa couleur bleue. La montagne… S'il reste des **NUAGES** à sa cime, ce n'est pas parce qu'ils y paressent. C'est que cette montagne n'est pas une montagne, c'est un volcan ! Et que ce nuage est en fait de la **fumée** qui s'échappe de son cratère.

Ce n'est pas une bonne nouvelle, ça.

Pourquoi des gens ont-ils choisi de s'installer au pied d'un **volcan** visiblement toujours actif? Le village est constitué d'une centaine d'habitations blanches.

Soudain, je sens trembler la glace sous moi.

— Un tremblement de glace? dit Foxy, inquiète, qui a également ressenti les **SECOUSSES**.

Baissant les yeux, j'aperçois sous mes pieds une immense masse noire. Je relève la tête, convaincu qu'un nuage a voilé le soleil. Il n'en est rien.

La masse noire nage avec aisance sous l'eau, faisant ainsi vibrer la glace. C'est elle, la source de ce tremblement.

POC! POC! POC!

Ce n'est pas un poisson ou une écrevisse des neiges. Nous sommes tous couchés sur la GLACE pour mieux l'examiner. Sa clarté permet de distinguer ce qui grouille là-dessous : une large tête au bout d'un cou interminable, un corps ÉNORME au dos bombé, avec des palmes pour se mouvoir dans son élément. J'avertis les Zintrépides :

C'EST UN MONSTRE!

Les yeux de la bête fantastique, maintenant immobile, nous fixent à travers la glace. Elle nous fait un sourire… Oui, un sourire pour dévoiler des dents pointues et gigantesques qui ne feraient qu'une bouchée des Zintrépides.

FrouFrou gronde et jappe.

Grrrrr ! Ouaf! Ouaf!

La masse sombre s'enfonce dans le lac et disparaît.

La belette se frotte les mains d'aise.

— Il savait à qui il avait affaire, celui-là !

La glace se remet à trembler. La **MASSE SOMBRE** prend tout à coup du volume. L'instant d'après, une tête cauchemardesque surgit à l'air libre à quelques mètres de nous !

La tête de Nessie

Ça parle aux millions d'écrevisses de la rivière Bulstrode!

Ça n'arrêtera donc jamais?

C'est à croire qu'il y a un monstre qui nous guette à chaque tournant de sentier! Quand ce n'est pas un chauve-grimace, le Minotaure, un poulpe GÉANT, un oiseau rokh, des dionées mangeuses de Zintrépides, des chauves-souris GIGANTESQUES, un cyclope ou un Yéti…

— Présent! dit la belette.

… c'est un genre de plésiosaure qui émerge des profondeurs d'un LAC GELÉ en surface. Son cou fait au moins trois mètres de long. Il a une tête de Nessie! Je devine la raison pour laquelle le Migou a préféré éviter ce lac de glace.

Billy Stuart, raton laveur de savoir, curieux de tout, établit un lien ici avec la fameuse créature mythique du Loch Ness, en Écosse. Ce monstre, de l'avis de certains, serait dans la lignée des plésiosaures, des reptiles marins de l'époque lointaine du Jurassique. Selon d'autres, Nessie descendrait directement... d'un canular!

Au lieu de m'inciter à me lancer sur ses traces pour me distraire cet été, mon grand-père Virgile aurait dû me payer un *camp de vacances* !

J'ai la sensation de courir dans le vide, car je fais du sur-place malgré mes efforts. Il n'y a que Yéti qui ne fait aucun mouvement pour s'enfuir. Pire! Il s'en approche.

QU'IL Y VIENNE! NON, MAIS QU'IL Y VIENNE!

Le monstre a l'embarras du choix. Nous nous trouvons tous dans son rayon d'action.

Il claque-claque-claque des mâchoires, comme s'il les réchauffait avant de déguster l'un d'entre nous. Pourvu que ce soit le chien ! Il se rabat plutôt sur Muskie qu'il attrape par la queue et qu'il maintient à quelques mètres au-dessus de la glace.

> Il est faux de présumer qu'une mouffette ne peut pas « arroser » si on la tient par la queue. Ne tentez pas l'expérience à la maison et croyez-moi sur parole.

Une odeur infecte se répand dans l'atmosphère ambiante.

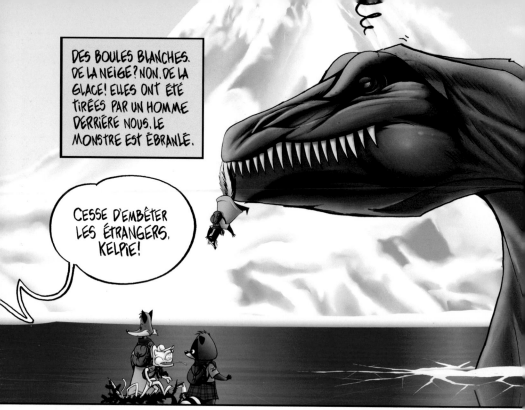

DES BOULES BLANCHES. DE LA NEIGE ? NON. DE LA GLACE ! ELLES ONT ÉTÉ TIRÉES PAR UN HOMME DERRIÈRE NOUS. LE MONSTRE EST ÉBRANLÉ.

CESSE D'EMBÊTER LES ÉTRANGERS, KELPIE !

TU NE COMPRENDS PAS VITE, TOI !

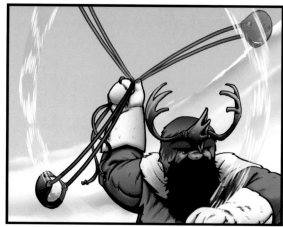

On dirait qu'il parle à FrouFrou.

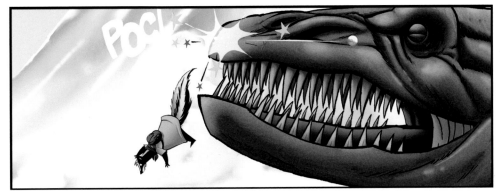

BEURK! C'EST DÉGOÛTANT!

L'homme s'amène vers nous. Son corps est protégé du froid par un manteau, des pantalons, des moufles et un chapeau confectionnés à partir de **PEAUX DE CARIBOUS**. Sur sa tête, il en porte d'ailleurs les ramures.

Muskie remercie son sauveteur alors que Yéti, la belette, préfère bouder.

— Avec une fronde, j'aurais pu t'aider… **PFFF!**

Je ramasse l'un des morceaux de glace qui ont fait mouche. Il est aussi lourd et dur qu'une boule de pétanque. Ce n'est pas surprenant que les tirs de l'homme aient fait lâcher prise au monstre. Il s'agit d'une **arme redoutable**.

LE MONSTRE…
VOUS L'AVEZ
APPELÉ KELPIE?

OUI. C'EST LE NOM QU'ON LUI DONNE AU VILLAGE. IL HANTE LE LAC KELP DEPUIS DES LUNES.

En me penchant, je constate que la glace d'où a surgi la créature fantastique est moins épaisse. Je repense à ces phoques qui se font des trous d'air dans la banquise pour respirer. C'est souvent à ce moment que les ours polaires en profitent pour les attraper. Kelpie a probablement de ces trous d'air dans son lac à des fins identiques : lui permettre soit de respirer, soit de saisir D'AUDACIEUX et d'insouciants étrangers.

L'homme, lui, s'appelle Heisse Berg. Nous nous regardons tous et aucun d'entre nous n'émet le moindre commentaire.

— Qui êtes-vous et que faites-vous ici?

La peau de son visage est brûlée par le froid et la neige qui reflète l'éclat du soleil. Ses yeux noirs sont bridés. Un mélange d'Inuit et de Viking.

Après lui avoir présenté les Zintrépides, je ne juge pas bon de lui faire le récit de nos aventures précédentes.

— Nous essayons de retrouver mon grand-père. Des indices nous incitent à croire qu'il est passé par ce pays de glace.

Il nous étudie un instant et doit estimer que nous ne constituons pas un **DANGER** puisqu'il nous prie de le suivre jusqu'à son village.

— Qui sait? Quelqu'un a peut-être entendu parler de lui?

Chemin faisant, sur le lac, Heisse Berg plonge la main dans sa besace pour en tirer un aliment qu'il porte à bouche.

Ah! Manger! Notre hôte a saisi nos expressions affamées, car il offre de partager sa nourriture.

Je croque à pleines dents dans ma collation. Ça se mange… J'ai comme un 🎄 **par fum de sapin** 🎄 en bouche… Ce n'est pas une écrevisse de la rivière Bulstrode. Mais à défaut de pain, on se contente de la galette, après tout.

CHAPITRE 12

Le roi de Snô-Khone

Guidés par Heisse Berg, nous atteignons le village de Snô-Khone en fin de journée. Il est situé carrément au pied du volcan. Une pensée **HORRIBLE** m'assaille : une simple coulée de lave ou de boue volcanique et tout le village est emporté !

Au sommet du volcan, j'aperçois, sous le nuage qui semble y flotter en permanence, des **LUEURS ROUGES**, sans doute émises par de la lave en fusion dans le cratère.

On ne prendra pas racine à Snô-Khone. Traquons la piste de mon grand-père Virgile et oublions ces lieux de glace et de feu au plus vite.

La nuit enveloppe rapidement le paysage. La lune, presque pleine, cache de son éclat une partie du ciel.

Les constellations et les étoiles que je vois scintiller n'ont rien en commun avec celles du ciel de Cavendish et de sa région. Pas de Grande Ourse. Pas de Persée. Pas d'étoile polaire. Pas de Cassiopée. Il n'y a plus aucune référence.

Les rues du village sont étroites. Notre présence suscite énormément de curiosité dans la population; les gens se pressent à la porte et aux fenêtres de leurs maisons pour nous regarder. Plusieurs emboîtent le pas. Ils sont tous vêtus de peaux de caribous, des enfants aux vieillards.

Les habitations de glace sont tassées les unes contre les autres; elles ne font toutes qu'un étage, à l'exception du PALAIS ROYAL, qui en compte deux. Il a été construit dans une portion supérieure du volcan et domine tout le village.

Je ne peux réprimer un frisson. C'est qu'il fait froid! J'en passe la remarque à Heisse Berg.

— Heureusement que vous êtes venus durant notre été, nous dit notre hôte.

Il ne s'agit pas d'une blague! Le barbu est sérieux comme tout.

— Il fait relativement doux en cette saison, explique-t-il. Si vous étiez venus au cours de l'hiver, vous auriez été transformés en **BLOCS** de 𝔾𝕃𝔸ℂ𝔼 comme votre copain, le caméléon.

Voilà une motivation supplémentaire pour ne pas moisir dans cette contrée inhospitalière.

Heisse Berg désigne un bouquet de sapins, qui entourent une cabane, à l'arrière de chacune des maisons.

— Les latrines…

— La salle de bains, traduit Foxy.

— Les sapins masquent l'odeur, commente Muskie, la mouffette.

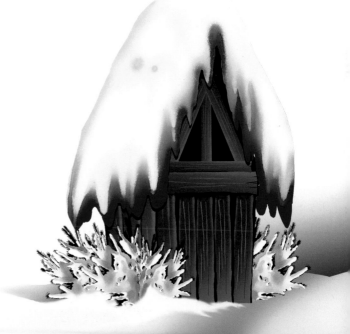

De là à établir un lien avec les petits sapins sent-bon que l'on trouve accrochés au rétroviseur des voitures, il n'y a qu'un pas à franchir, pas que le bon sens me dicte de ne pas faire...

Notre guide nous entraîne à l'intérieur du palais de glace où, nous le remarquons dès que nous y mettons le pied, le seul matériau de fabrication est… la glace !

Tout ici est taillé dans la glace : les **PORTES**, l'ameublement, même les **VITRES** qui proviennent du lac et qui en ont gardé les qualités premières : résistance et transparence. Au fil des pièces, l'ensemble glacial n'est brisé que par la présence de peaux de bêtes qui servent d'ornements ou qui font office de **CHAISES** ou de *lits*.

L'air est frais à l'intérieur, quoique agréable.

D'innombrables **bougies** diffusent de la lumière et un brin de chaleur. Un mystère à percer, car elles ne font pas fondre leurs supports de glace.

Nous ressentons une vibration sous nos pieds. Elle dure une dizaine de secondes. Nous arrêtons de marcher.

— Un **TREMBLEMENT** de glace, signale Heisse en haussant les épaules, comme si l'événement était banal. Il s'en produit de plus en plus régulièrement ces semaines-ci.

Je vais bientôt manquer de doigts pour énumérer tous les arguments pour lesquels nous ne devons pas nous éterniser ici.

Nous rencontrons d'autres hommes vêtus comme Heisse Berg, avec des bois de caribous fixés à leur couvre-chef. Ce sont des sentinelles, les GARDES DU ROI à qui le barbu veut nous présenter.

Coiffé d'un chapeau noir, haut de forme, le souverain du village nous accueille dans sa grande salle de réception avec un **SOURIRE FIGÉ**, qui fait rebondir ses joues saillantes. Un rond rouge colore chacune de ses joues. Même à l'intérieur, il se pare d'un manteau de fourrure d'ours polaire.

Sur son trône, flanqué de deux gardes, il fait un geste de sa main gantée pour inviter Heisse Berg à s'avancer vers lui. Un 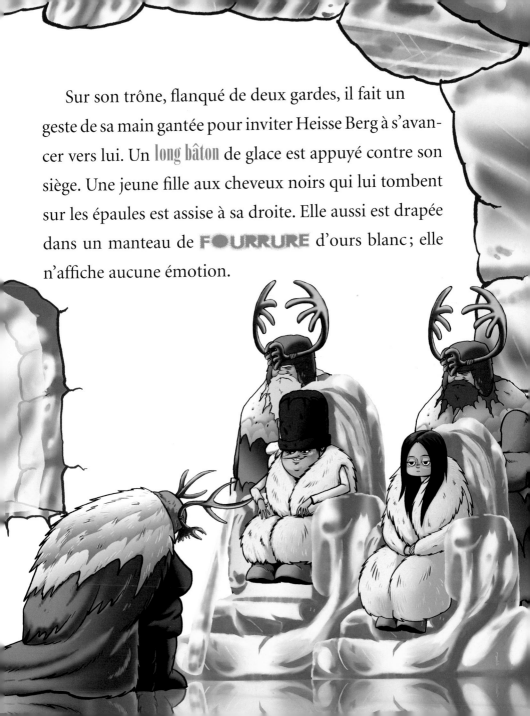long bâton de glace est appuyé contre son siège. Une jeune fille aux cheveux noirs qui lui tombent sur les épaules est assise à sa droite. Elle aussi est drapée dans un manteau de FOURRURE d'ours blanc ; elle n'affiche aucune émotion.

— Que nous amenez-vous là, mon cher Heisse Berg?

— Des visiteurs, lui répond-il, en s'inclinant devant eux.

Notre hôte se charge des **présentations**. Nous nous trouvons à la cour du roi Sérac et de sa nièce, Moraine. Foxy et moi, nous nous regardons avec un sourire.

Lors de ma conversation avec Billy Stuart pour ce cinquième récit, j'ai cru qu'il me faisait une blague stuartienne. Après tout, sérac et moraine ont un rapport avec les glaciers. Mais il m'a assuré que tout était vrai. Un peu plus, et Billy Stuart changeait le nom du chien FrouFrou pour celui de Slush Puppie...

Heisse Berg raconte au dirigeant du village de Snô-Khone les circonstances de notre rencontre. Sérac nous examine de ses **YEUX NOIRS** bridés, hoche la tête par moments pour lui démontrer qu'il l'écoute alors qu'il est évident que le roi a déjà l'esprit ailleurs. Son index flatte le **BOUT DE SON NEZ** pointu, tordu, et d'une couleur orangée.

— Votre grand-père, Billy Stuart? m'apostrophe Sérac. Non, il n'est pas passé par **SNÔ-KHONE**.

Sa nièce Moraine baisse la tête et ne dit mot. Pourquoi ai-je l'impression que si le monarque s'était appelé Pinocchio, il m'aurait crevé un œil avec son long nez?

Le roi se lève de son trône pour signifier que l'entretien est terminé. Il a un physique curieux : un visage rond sur un tronc **moyen**, auquel on a greffé des bras rachitiques, terminé par un large postérieur, le tout sur des pattes courtes. Trois étages…

L'image que j'en ai est celle… d'un bonhomme de neige!

Sérac nous offre le gîte pour la nuit. Par la suite, insiste-t-il, il faudra poursuivre notre chemin et aller au-delà du volcan.

En clair, malgré les apparences, les **ZINTRÉPIDES** ne sont pas les bienvenus.

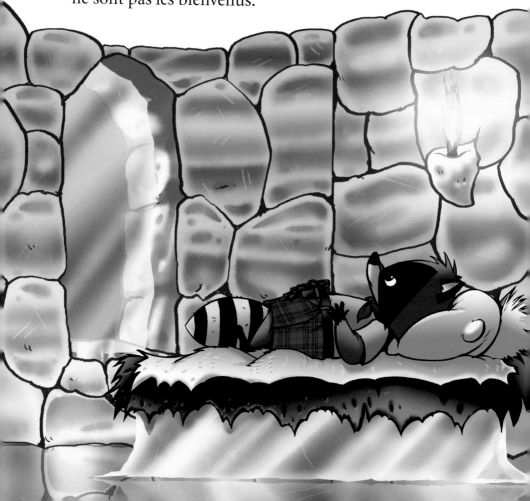

Après un repas copieux – du surgelé réchauffé –, nous sommes conduits à nos chambres.

Couché sur un lit de glace, j'ai la sensation d'être descendu à l'Hôtel des Glaces, qui est construit tous les hivers, au bout de la rue Blanche, dans ma ville de Cavendish. Chaque année, mes parents se promettent d'y passer une nuit, mais ils tardent et l'arrivée du printemps leur fait reporter leur plan à l'année suivante.

Galopin est étendu sur le lit voisin. Avec la peau des bêtes, des OURS et des caribous, si j'ai compris les explications de notre ami Heisse, c'est assez confortable. Préférable, en tout cas, à notre abri de fortune au pied du grand sapin dans la forêt.

Foxy a accepté de prendre FrouFrou dans sa chambre. Au moins, je ne l'entendrai pas ronfler cette nuit !

BRRRRRRRR!

Quelle est cette vibration? Rien de tragique: un autre tremblement de glace. J'espère que les murs tiendront le coup advenant un violent séisme.

Trop excité pour rester couché, je vais à la fenêtre pour admirer ce ciel étranger et les **LUEURS ROUGES** qui émanent du volcan. De ma position, j'ai une vue globale sur le village endormi. Le choix de Sérac d'y établir son palais est judicieux. Ainsi situé, il peut garder un œil sur son peuple.

Un cri éclate dans la nuit et me fait sursauter :

HAW-HAWAAAH!

Le Migou ! Il a retrouvé notre piste !

D'où provient ce hurlement ? Impossible à déterminer. Des sentinelles envahissent la rue en faisant tournoyer leurs redoutables frondes au-dessus de leurs têtes.

C'est curieux, car ce cri ne résonne pas à la manière d'une déclaration de guerre ou d'un danger imminent. On dirait plutôt une plainte d'une infinie tristesse, comme tout à l'heure à la sortie de la forêt, aux abords du lac, et…

Je me retourne vivement ! Il y a eu un bruit dans ma chambre.

Quelqu'un plaque violemment sa main sur ma bouche !

EXERCICE DE DICTION

1. LIS CES SIX LIGNES À VOIX HAUTE
ET LE PLUS RAPIDEMENT POSSIBLE.

QUE DIT NON BILLY STUART
QUE DIT CE BILLY STUART
QUE DIT N'EST BILLY STUART
QUE DIT PAS BILLY STUART
QUE DIT MON BILLY STUART
QUE DIT CHIEN BILLY STUART

2. RELIS CES SIX LIGNES À VOIX HAUTE ENCORE PLUS
RAPIDEMENT QUE LA PREMIÈRE FOIS.

3. RÉPÈTE LES ÉTAPES 1 ET 2 AUTANT DE FOIS
QUE NÉCESSAIRE...

BILLY T'ENVOIE UN MESSAGE SUBLIMINAL.
L'AS-TU DÉCOUVERT ?

Solution à la page 157

Au dieu Volcan

Cette main qui veut m'empêcher de crier « Au secours ! » n'est pas velue. Elle est très douce… toute menue, mais très ferme.

Très femme, j'ajouterais.

Pourquoi la princesse Moraine agit-elle ainsi avec moi ?

— Du calme, Billy Stuart ! chuchote-t-elle. Vous allez alerter les gardes.

J'aimerais la questionner à voix basse, mais Moraine maintient sa pression sur ma bouche. En l'absence de paroles, mes **YEUX** en disent long sur la situation. Elle comprend finalement et accepte de retirer sa main, à mon grand soulagement.

Nous nous assoyons sur le lit. Galopin est un témoin silencieux et congelé de notre entretien. **L'intensité** du regard de Moraine tranche avec son attitude éteinte et distante à notre rencontre initiale en fin de journée.

— Le roi a menti, commence-t-elle. Votre grand-père a séjourné dans cette chambre. Il y a laissé sa trace…

— QU…?

Je me retiens de manifester davantage ma surprise pour ne pas attirer les sentinelles dans la chambre.

La princesse m'invite à la suivre, sans dire un mot, près de la porte d'entrée. Elle guide ma main contre un mur. Je constate qu'il n'est pas lisse… Il y a une marque… une marque que je connais! Un Y que l'on pourrait prendre pour un X à cause de ses traits qui se prolongent à la base. Y comme Voyage, comme Voie… comme Virgile! J'en ai le souffle coupé!

— C'est… c'est sa marque! Il y a un bon bout de temps qu'on le poursuit.

Mon grand-père est venu dans cette chambre! Mais pourquoi le roi a-t-il menti à son sujet? Quel est ce mystère?

Même en y réfléchissant, je ne peux pas évaluer le nombre de JOURS, de SEMAINES ou de MOIS qui se sont écoulés depuis notre départ de la forêt des Kanuks, en juillet dernier.

Billy Stuart ne parvenait pas à se souvenir de la date de son départ de Cavendish. J'ai dû consulter les premières notes écrites pour situer le moment exact : le 14 juillet, fête nationale de la France.

Je bats des paupières pour m'excuser. Confiante, elle relâche sa pression, même si elle conçoit mon besoin d'exploser de **FUREUR**. J'attends la suite de son récit.

— Votre grand-père Virgile a vite compris à qui il avait affaire. Il a appris qu'une **créature innocente** allait être jetée dans le cratère, le soir de la Grande Lune, pour apaiser la colère du volcan. Mais votre grand-père l'a aidée à s'enfuir de la **PRISON DU PALAIS**. Enragé et trahi, le roi a décidé que votre grand-père prendrait la place de la victime.

En un sens, je suis un peu rassuré. Il devait savoir ce qu'il faisait, lui qui ne laisse rien à l'improviste.

QUELLE ÉTAIT CETTE CRÉATURE?

LE MIGOU...

QUOI?

CHER GRAND-PÈRE VIRGILE, TOUJOURS PRÊT À RENDRE SERVICE.

Un autre sacrifice

La princesse Moraine avait prévu ma réaction. Qu'est-ce qui a pu pousser mon grand-père à vouloir aider un **monstre** à se sauver des griffes d'un tyran? En me posant la question, j'y trouve la réponse. Le monstre n'est peut-être pas celui que l'on pense…

Le voyage de mon grand-père dans lequel il tenait à m'entraîner a-t-il pris fin ici, dans le **cratère d'un volcan**?

— J'ai de la difficulté à envisager sa mort.

— Vous ne m'avez pas écoutée, Billy Stuart, me reproche-t-elle gentiment. Vous semblez persuadé que votre grand-père n'est plus? En fait, c'est exactement ce qu'il désirait faire croire à mon oncle, le roi.

Moraine m'explique que mon grand-père, à son arrivée au pays, avait visité le volcan et ses **cheminées**.

J'y songe… Je tire de mon aumônière le carnet de mon grand-père Virgile. Sa dernière inscription : « Au cœur du **FEU** et de la **GLACE**, tu poursuivras ta route, Billy Stuart… »

La conclusion s'impose : moi et les Zintrépides, nous devrons plonger dans le cratère à notre tour.

MES PROJETS DE DÉCOUVRIR LA VOIE DE PASSAGE SONT RELÉGUÉS AU SECOND PLAN...

MOI? ET POURQUOI MOI?

PARCE QU'ELLE CRAINT LES HUMAINS. ET VOUS N'EN ÊTES PAS UN.

JE N'AI SURTOUT PAS CETTE PRÉTENTION! QUI A PEUR DES HU... HUMAINS?

Mon cerveau fonctionne à plein régime, malgré l'heure tardive. Je sais! Mais comme je m'apprête à *HURLER* la réponse, je plaque ma propre main sur ma bouche.

Moraine n'entend pas vraiment ce que je lui marmonne. Elle le devine.

— C'est presque ça, Billy Stuart, me confie-t-elle.

Je retire ma main.

— Presque?

Je suis dans l'erreur. Je croyais que les **CRIS DE DÉTRESSE** que j'ai entendus juste avant l'arrivée de Moraine étaient ceux du Migou qui avait été capturé par les sentinelles du roi.

— Ce n'est pas lui, enchaîne-t-elle, sans qu'il soit nécessaire de préciser qui est ce «lui» qu'elle évoque.

Aux sons des **voix à l'extérieur**, nous comprenons que les sentinelles rentrent au palais. L'agitation s'est calmée. Moraine se dirige vers la porte pour regagner sa chambre en toute hâte.

À SUIVRE...

CHERCHE ET TROUVE

Peux-tu repérer ces éléments dans le livre ?

Solution à la page 157

SOLUTIONS

PENSE VITE (P. 34)

1. PARCE QUE LE JARDIN DE BILLY EST DEUX FOIS PLUS GRAND QUE CELUI DE FOXY.

2. DE FONDRE EN LARMES.

3. JE SUIS FROUFROU ET, BIEN QUE JE NE SOIS PAS LE CHIEN DE BILLY STUART, JE LE SUIS PARTOUT!

4. JE VAIS ENCORE ME FAIRE ENGUIRLANDER!

MESSAGE SECRET (P. 56)

MUSKIE A CARESSÉ FROUFROU.
GALOPIN A DIT: «FROUFROU EST TRÈS AIMÉ» ET BILLY STUART S'EST ÉNERVÉ.

ÉNIGME (P. 66)

SI LES DEUX PAPAS ET LES DEUX FILS STUART DÉVORENT LES TROIS ÉCREVISSES AU CHOCOLAT, C'EST PARCE QU'ILS SONT DÉLICIEUX, D'ABORD, MAIS SURTOUT PARCE QU'ILS SONT TROIS STUART ET NON QUATRE: LE GRAND-PÈRE VIRGILE, LE PÈRE DE BILLY ET BILLY LUI-MÊME. LE PAPA DE BILLY ÉTANT AUSSI LE FILS DE VIRGILE, IL NE COMPTE QUE POUR UN.

LES DEVINETTES (P. 104)

PREMIÈRE DEVINETTE – EH OUI, FOXY A TROUVÉ LA RÉPONSE!
C'EST LE «E». IL N'Y A QU'UN SEUL «E» DANS LE MOT «MINUTE», IL
Y EN A DEUX DANS LE MOT «HEURE» ET IL N'Y EN A AUCUN DANS LE
MOT «JOUR».

DEUXIÈME DEVINETTE – HA! HA! HA! PARCE QUE TOUT LE MONDE
SAIT QUE LES CANARDS NE SAVENT PAS LIRE, RIGOLE YÉTI.

EXERCICE DE DICTION (P. 140)

POUR DÉCODER LE MESSAGE DE BILLY, IL TE SUFFIT DE NE LIRE
QUE LE TROISIÈME MOT DE CHAQUE LIGNE. AINSI TU AURAS:
«NON, CE N'EST PAS MON CHIEN!»

CHERCHE ET TROUVE (P. 154-155)

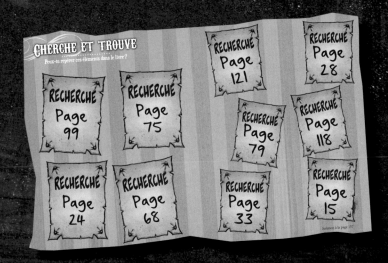

TABLE DES MATIÈRES